近年は、今まで現地に行かないと食べられなかった食材や料理が、簡単に取り寄せて食べることができるようになりました。また、新鮮でおいしいものや珍しいものを提供する店を探し、食を楽しむ人も多くなっています。

とくに近頃は、食べものは生食に限るといった風潮もあり、加熱不十分な鶏肉などを食べ、食中毒が発生するなど、深刻な問題も生じています。

食中毒は、梅雨時から夏にかけて、湿気や気温が上昇する季節に多くなりますが、ノロウイルスのように季節を問わず発生する食中毒もあります。カンピロバクターも1年を通して食中毒を起こす菌です。そして、過去10年以上カンピロバクターによる食中毒の件数は、ノロウイルスによる食中毒とならんでトップクラスとなっています。

本書は、このカンピロバクター食中毒について知っていただくため、食中毒事例をふまえながら説明していきます。

1 カンピロバクターってなに？

増えてきたカンピロバクター

食中毒を起こす微生物※として、腸炎ビブリオやサルモネラ、O《オー》157、ノロウイルスがよく知られていますが、食中毒の件数がノロウイルスとならんでもっとも多いのがカンピロバクターによる食中毒です。

このカンピロバクターという菌は、昔から牛や羊などの家畜の流産を起こす菌として注目されていましたが、1970年代には家畜だけでなく、人に腸炎を起こす菌であることが判明しました。

わが国では昭和54年に発生した集団下痢症の保育園児から、はじめて本菌が検出されました。また昭和57年には、カンピロバクターのなかでも、もっとも食中毒に関係が深いものとして、カンピロバクター・ジェジュニとカンピロバクター・コリの2種が挙げられています。

※微生物…細菌、ウイルス、真菌（カビ）、原虫などが含まれます。

らせん状の細菌です

カンピロバクターの菌は、長さが大腸菌とほぼ同じですが、幅が狭く、先端(両極)に1本の鞭毛《べんもう》がついており、ヘリコプターのプロペラのようにS字状にねじれています。食中毒菌で、このように「らせん状」をしている細菌はほかにはありません。これが、コルクの栓抜きのようにクルクルまわりながら動きます。環境の変化により形状が球状に変わってきます。

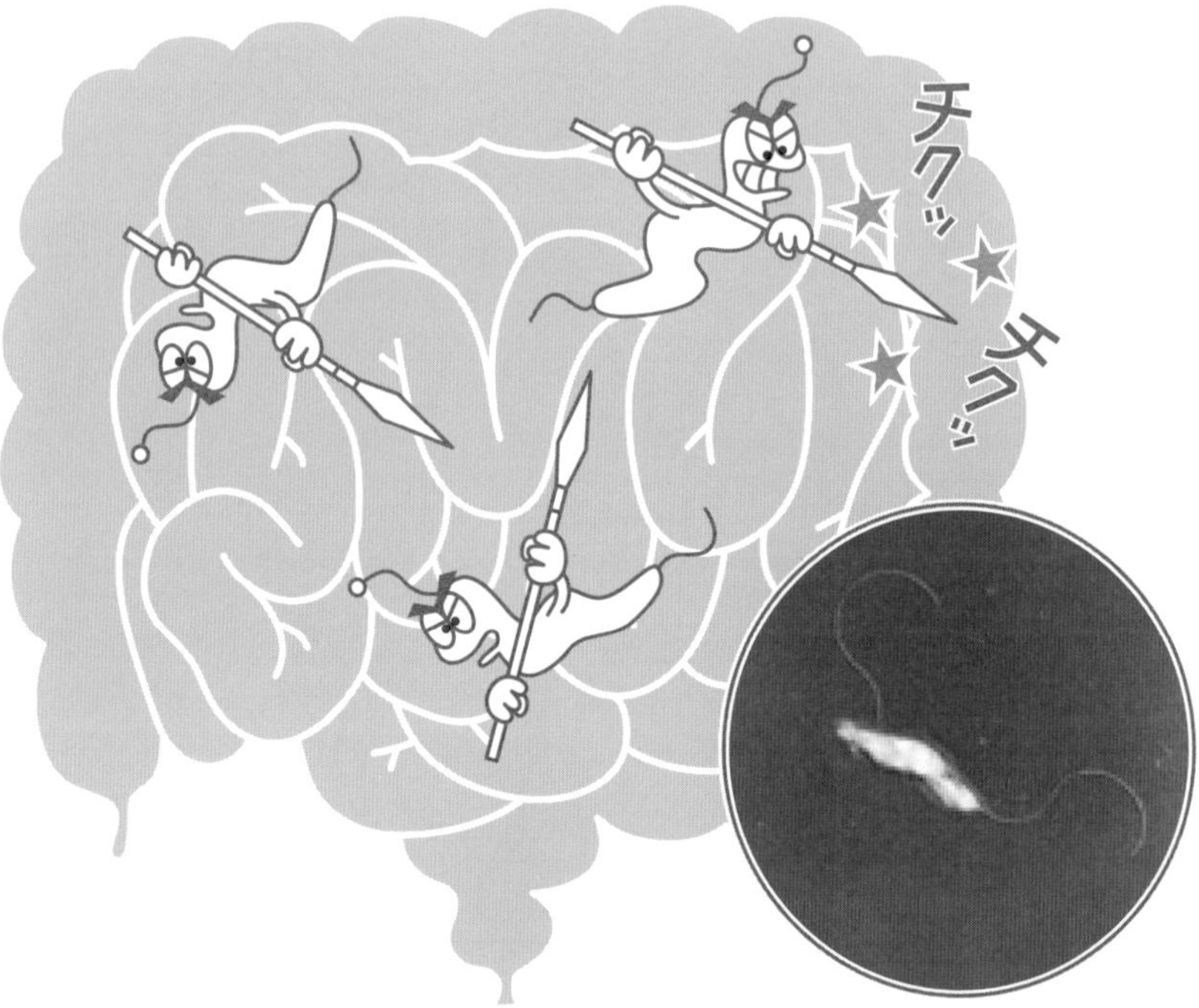

カンピロバクターはどんな場所にすんでいるの？

カンピロバクターにとってどのようなところが居ごこちがよいのでしょうか。

カンピロバクターは、酸素濃度が3～15％と低く、温度はとくに37～42℃で増殖しやすいといわれています。そのため、人や動物の腸管内はとても居ごこちがよいことになるのです。

通常、大気中では23％程度酸素が含まれていますので、カンピロバクターが増殖することはありません。反対にまったく酸素がないところでも増殖しません。

このように、鶏、牛、豚の腸管内がカンピロバクターのすみかとなるわけですから、食肉を扱うときには、食中毒予防に十分に注意を払わなければなりません。

※カンピロバクターは酸素濃度が3～15％の環境で増殖します。これを「微好気性」と呼びます。

カンピロバクターは少ない菌でも食中毒に

黄色ブドウ球菌など食中毒菌の多くが10万～100万個増殖してはじめて食中毒が発生するのに対し、カンピロバクターは百個程度の少ない菌数でも食中毒を起こします。

他の食中毒菌であれば、食品に付着していても、食材などの適切な温度管理や、調理した料理は提供後すぐに食べてもらうといったことを徹底し、菌の数を増やさないようにすれば、食中毒は発生しません。

ところが、カンピロバクターは少ない菌でも発症するため、温度管理だけでなく、食品に菌をつけないようにすることがたいせつです。

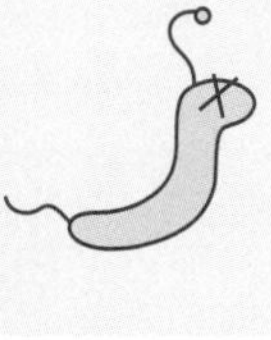

②どんな症状が出るの？

はじめは風邪と勘違い？

食べてから症状が出るまで通常1〜7日、平均2〜3日と長くかかるため、腹痛、発熱、頭痛、下痢、吐き気といった症状が起こって受診すると、風邪の引きはじめかインフルエンザと誤診されることもあります。

こういった症状は、サルモネラ食中毒の症状によく似ているのですが、ほとんどの場合、胃腸炎は2〜3日で快方に向かいます。

通常、発熱しても38℃台ですが、まれに40℃以上になる人もいます。ほかに腹痛や頭痛、吐き気などの症状もみられます。

下痢の場合は水様便で半数以上が1日数回程度から、人によっては1日10回以上の激しい下痢をともなうこともあります。また、成人には少ないのですが、小児の約半数に血便がみられるなど、とくに5歳未満の小児や高齢者など抵抗力の弱い人に影響が出やすいのが特徴です。

まれに起こるマヒ症状

カンピロバクター食中毒になった場合、症状は数日で治りますが、まれに数週間してからマヒ症状が現れることがあります。

手足の軽いしびれ感からはじまり、だんだん上方にマヒがみられ、歩行困難になることもあります。四肢の運動マヒや、呼吸筋、顔面神経のマヒ、複視、えん下障害がみられることもあります。

これは侵入してきた細菌やウイルスから体を守るための免疫抗体が、逆に自分の末梢神経を攻撃することによって起こるもので、このような症状を「ギラン・バレー症候群」とよびます。

たいていは、1カ月以内にピークとなり、その後、徐々に回復に向かいますが、重症の場合はマヒやしびれ、筋力低下などの長期にわたる後遺症や、肺や心臓、血管、血栓、感染症などの合併症で死亡することもあるので、少しでも異常を感じたら病院に受診しましょう。

③どんな食品が原因になるの?

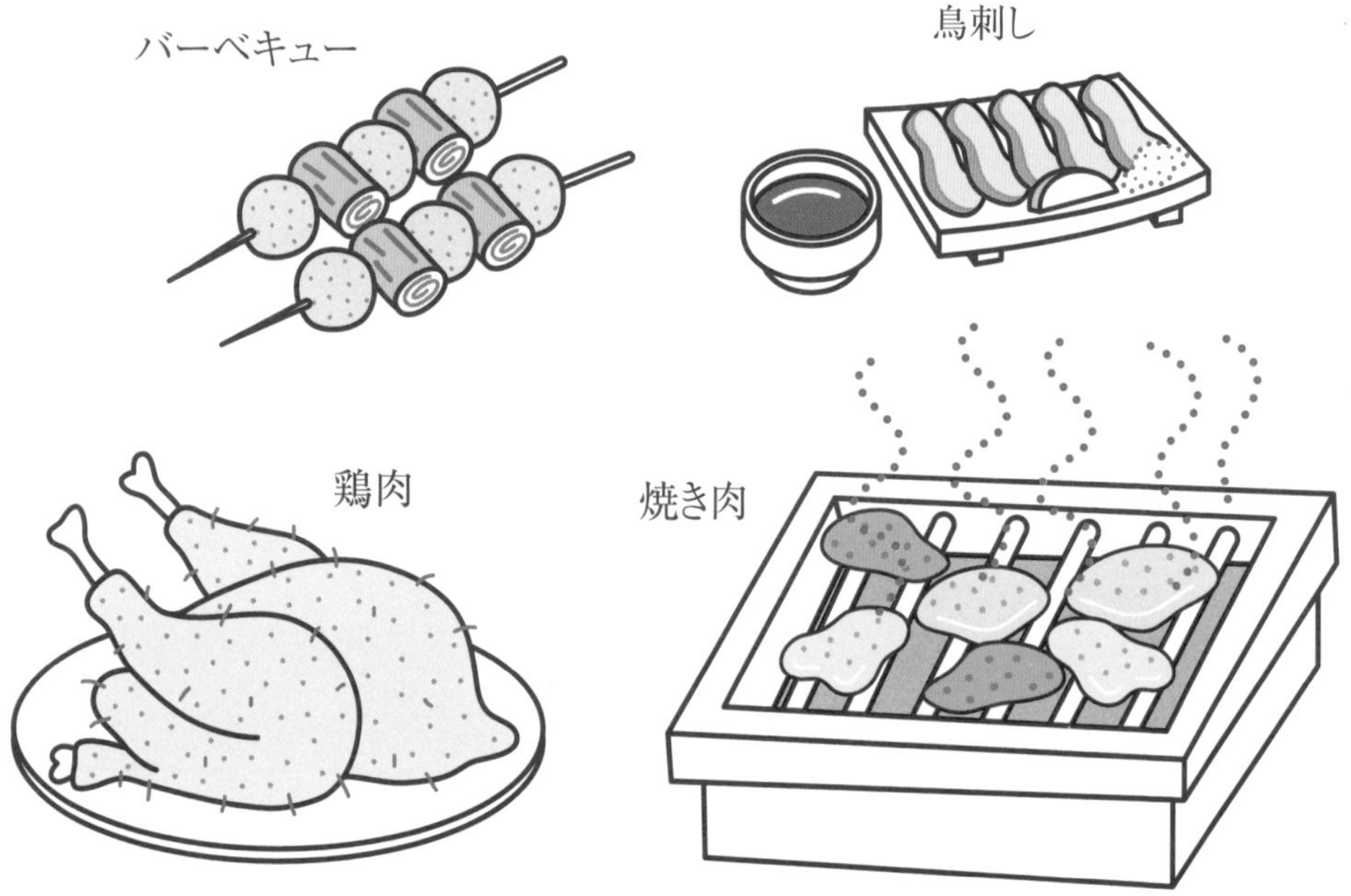

加熱不足による鳥肉や牛肉などの調理に注意

　このカンピロバクター食中毒を引き起こす原因となる食品には、どのようなものがあるのでしょうか。

　もともとカンピロバクターは、鶏、牛、豚などの腸管内をすみかにし、少ない菌数でも食中毒を引き起こします。食べてから症状が出るまで約1週間にわたることもあり、原因食品が特定できないものが約8割を占めています。

　原因食品としては、鳥刺しなどの肉の生食や加熱不十分な鶏肉(鳥わさなど)があります。また、二次汚染されたサラダや生水なども原因となることがあります。

　食鳥肉のほかに、少量の酸素さえあれば長く生存できることから、酸素の少ない包装された食品や水でも、食中毒を起こす危険性があります。

このような原因で食中毒が…

カンピロバクターによる食中毒は次のようなことでも起こります。

1 食肉全般、とくに鶏肉のささみやレバーは、サッと湯通しした程度の処理ではカンピロバクターは死滅しません。

2 焼き鳥などの調理食品は、中まで火が通らなければカンピロバクターは死滅しません。

3 食肉に直接さわった手指や調理器具やドリップなどを介して、カンピロバクターの汚染を受けた調理食品が食中毒の原因となります。

4 焼き肉やバーベキューなどでの生肉のとり箸も食中毒の原因となることがあります。

5 少ない菌数でも感染・発症するため、新鮮な食品も原因食となることがあります。

6 水中でも長期間生存できるので、未殺菌の井戸水やわき水も原因になることがあります。

④ もっとも多い カンピロバクター食中毒

カンピロバクター

集団食中毒は減少し、逆に少人数で発生?!

平成27年に全国で発生した食中毒は1202件、患者数は2万2718人になっています。そのうちカンピロバクター食中毒は318件、患者数は2089人で、1年を通して発生します。5〜7月がピークで、発生件数ではノロウイルスの次に多いトップクラスになっています。

カンピロバクターはわずか百個程度でも食中毒になってしまうため、以前は、給食施設の事例が多数発生し、とくに学校給食では大規模食中毒が毎年のように発生していました。しかし、「大量調理施設衛生管理マニュアル」や「学校給食衛生管理基準」などに基づき、衛生管理が向上し、現在では学校給食の大規模食中毒はかなり減少しています。

●過去5年間にわたるカンピロバクター食中毒事件数・患者数

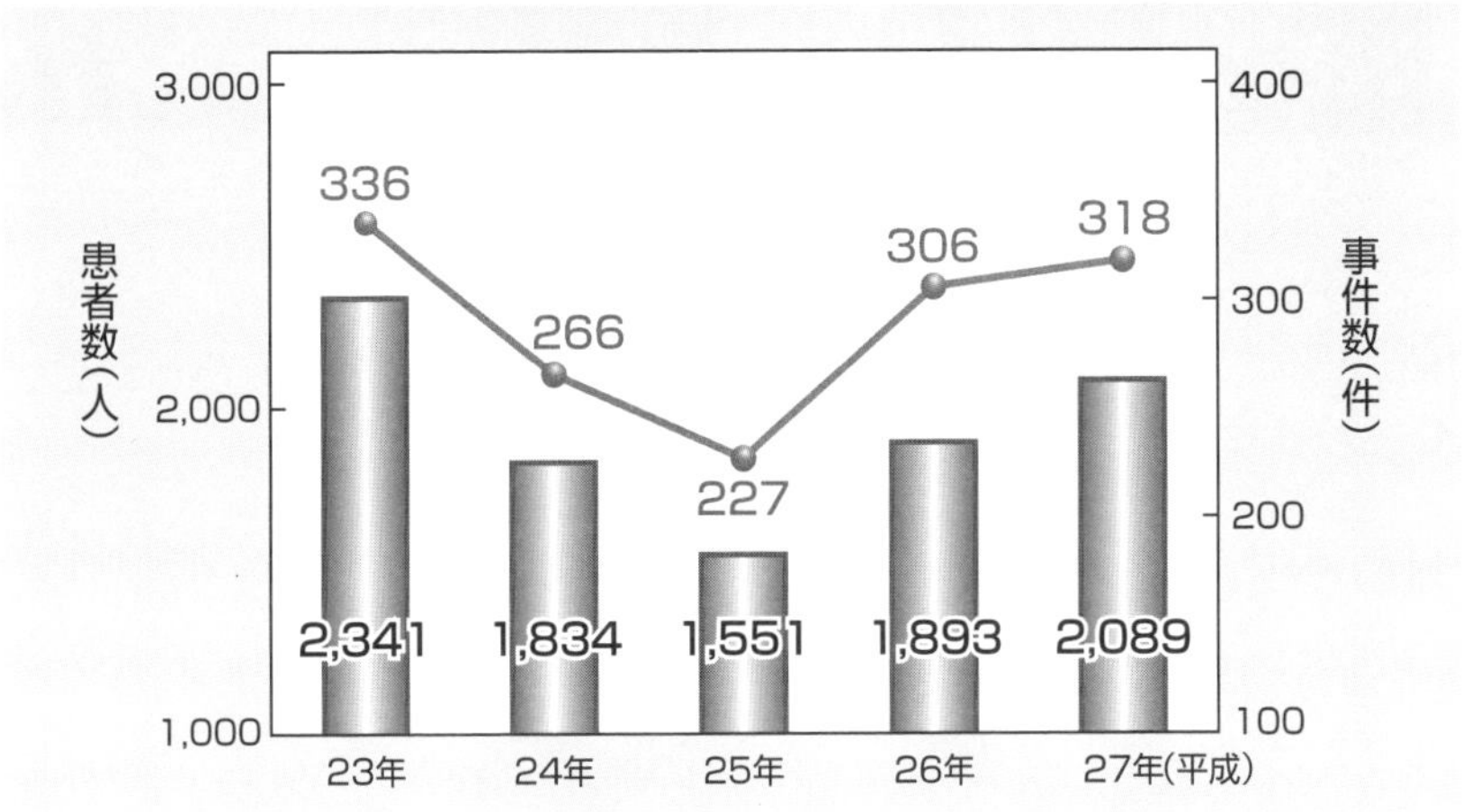

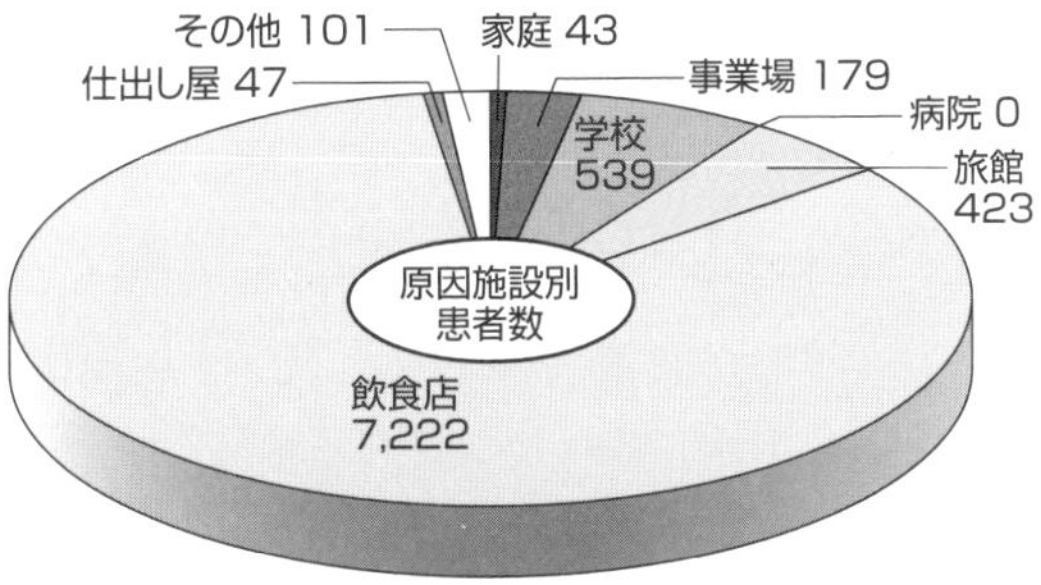

飲食店が原因の食中毒が増えている

近年では、食嗜好も影響してか、飲食店でのカンピロバクター食中毒が増えています。平成27年のカンピロバクター食中毒の原因施設の約半数は飲食店で237件、患者数1654人となっています。その多くが加熱不十分な食肉や、食肉等を生のまま、あるいは生に近い状態で提供したり、食べたことによって、また、調理工程であやまった衛生管理をしたことによって二次汚染し、食中毒を引き起こしています。

飲食店のほかには、学校（調理実習など）、旅館、事業場などが後に続いています。

⑤食中毒はこうして起こった

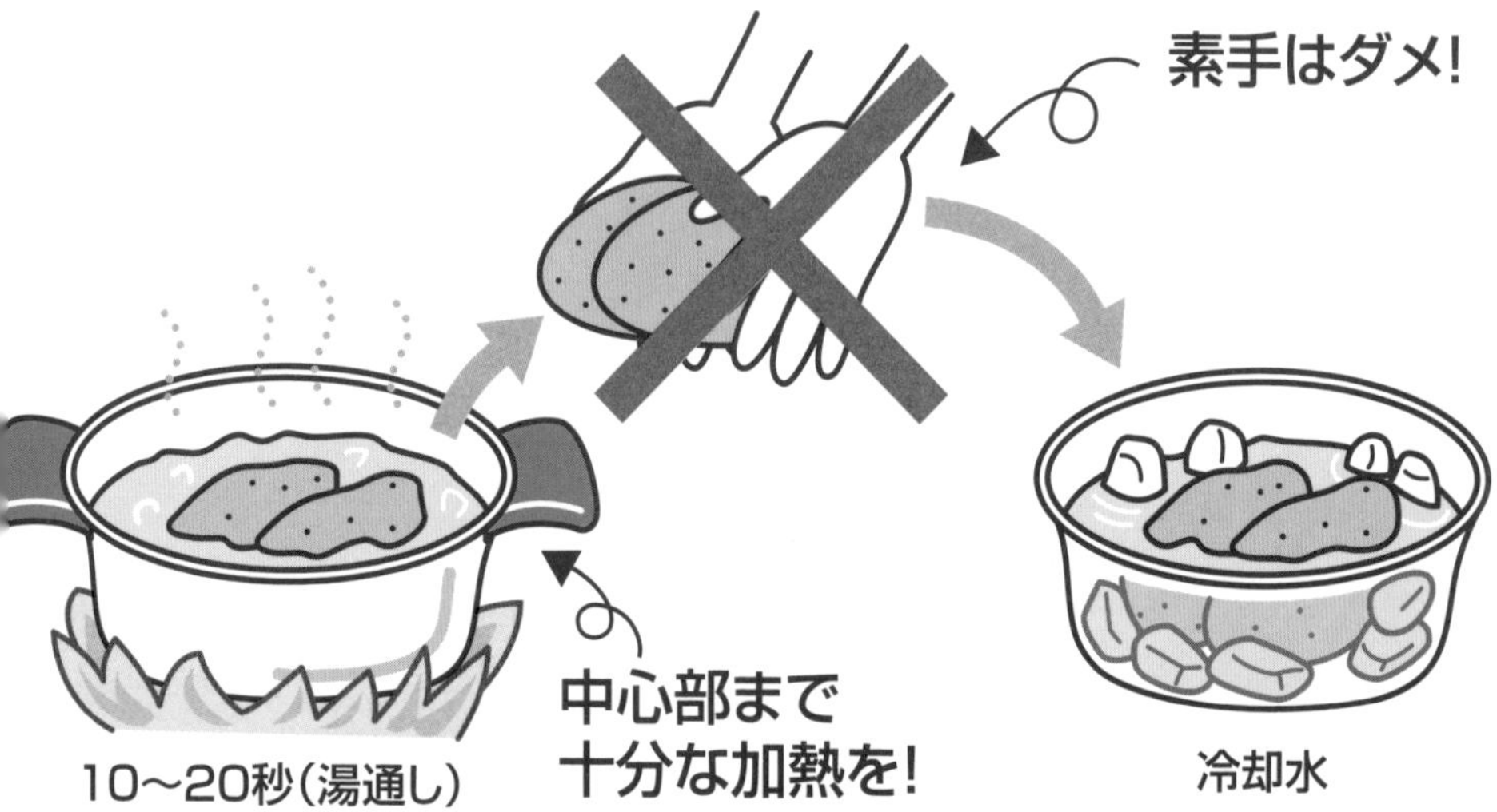
素手はダメ!
中心部まで
十分な加熱を!
10〜20秒(湯通し)
冷却水

①調理工程の不備で起きたケース

飲食店で会食をした74人中47人が飲食後2日〜7日の間にかけて腹痛、発熱、下痢などの食中毒症状を起こし、15人の患者の糞便のうち9人からカンピロバクター・ジェジュニが検出されました。

保健所の調査の結果、鶏肉のささみが原因食品ではないかと疑われました。調理従事者2人からもカンピロバクターが検出され、この2人も同一のささみを食べていたことがわかりました。

鶏肉のささみの調理工程は、沸騰水に10〜20秒つけ、湯通ししてから氷水による冷却をしていますが、湯通しすることによって最表面のカンピロバクターは死滅したと考えられます。しかし、湯通しから氷水による冷却を、ひとりの調理人が素手で行っていたことがわかりました。これは生のささみに付着していたカンピロバクターが、湯通し後のささみに手指などを介して再汚染したと思われる事例です。

調理実習の二次汚染事例

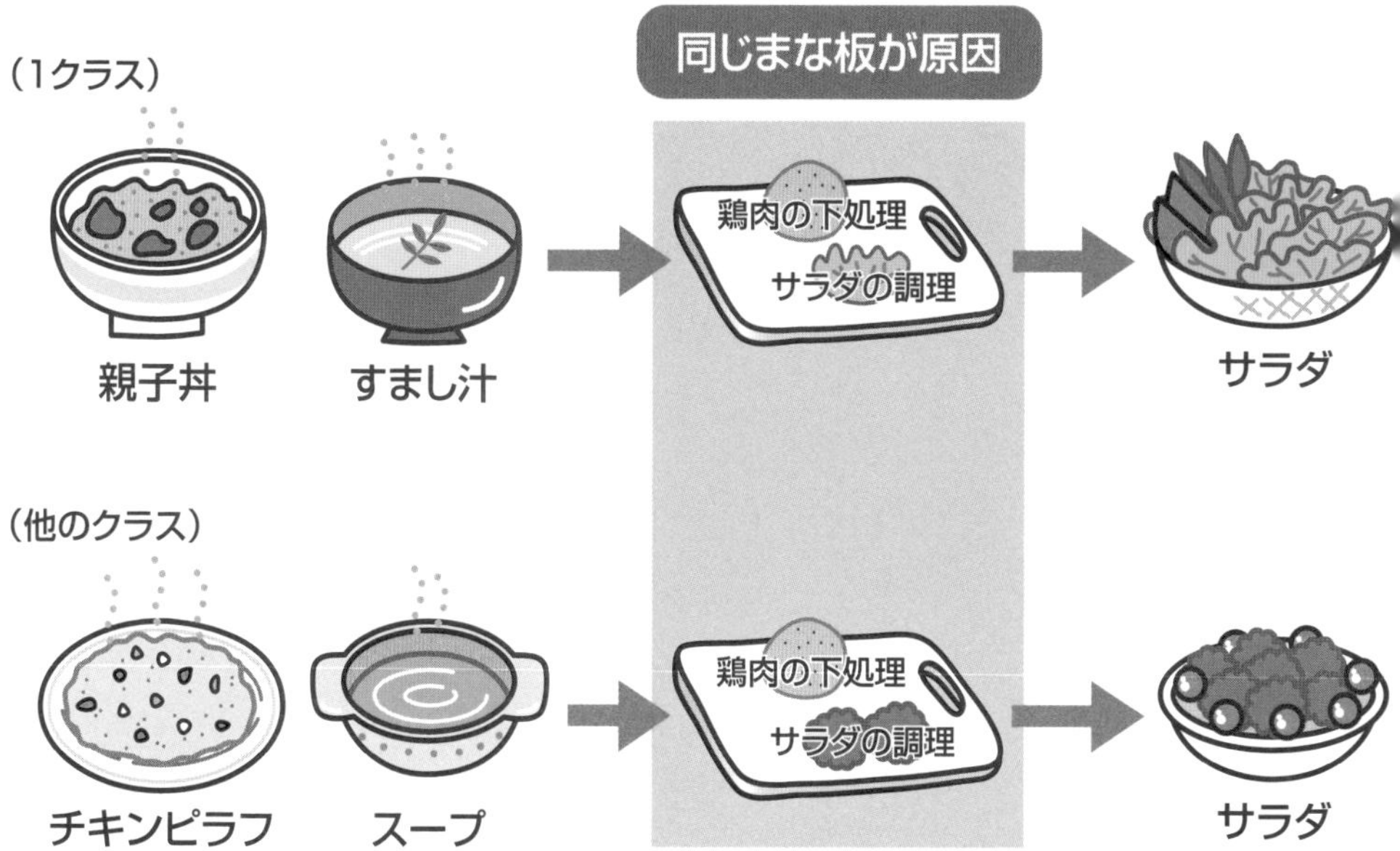

※鶏肉の下処理をしたまな板でサラダの調理をしたため食中毒に。

②二次汚染で起きたケース

ある高校で69人の生徒が腹痛、下痢、発熱などの食中毒症状を起こし、発症した各クラスの生徒からカンピロバクター・ジェジュニが検出されました。生徒たちはクラス単位で4日間にわたり調理実習を行い、1クラスは親子丼、すまし汁、サラダを。他のクラスはチキンピラフ、スープ、サラダなどを調理していました。いずれも鶏肉を使用していることから、原因としては、鶏肉の加熱不足が考えられました。

しかし、親子丼は生徒各人が小鍋で調理するため、大勢の生徒が同時に加熱調理不足になるとは考えにくく、チキンピラフも、鶏肉と米を一緒に炊飯していることから、カンピロバクターが生き残ることは難しいと判断。

そこでさらに調査したところ、実習では鶏肉の下処理とサラダの調理を同じまな板を使って行っていることから、鶏肉のカンピロバクターがまな板や手指を介して、サラダに二次汚染した可能性が高いと考えられました。

③重症患者が出たケース

飲食店で会食した2グループ29人のうち、20人が食中毒症状を訴えました。患者の糞便9人中8人からカンピロバクターが検出され、カンピロバクター・ジェジュニ食中毒と判明しました。グループの共通食は「会食料理・蒸し饅頭、鶏肉のさしみ、手羽先唐揚げなど」で、原因食品を特定することはできませんでした。

また、患者1人が発症10日後に「ギラン・バレー症候群」(7ページ参照)と診断され入院しています。

〈保健所の調査報告〉

① 鶏肉のささみは8秒間程度の湯通しを行っているが、この程度ではカンピロバクターは死滅しないため、ささみが原因食品と考えられる。

② 原料肉の下処理が調理済み食品の盛りつけや配膳台に隣接しており、二次汚染の危険性が高い。

③ 調理作業や洗浄、消毒などのマニュアルは整備されているが、記録なども不十分であり、遵守されていなかった可能性も否定できない。

④水が原因で起こったケース

1988年、井戸水が原因で357人の患者が発生した、水系感染事例が報告されています。カンピロバクターは大気や乾燥にきわめて弱い性質がありますが、水や湿潤な環境では適応能力を持っています。

そのため飲料水にカンピロバクターが混入し食中毒を起こすケースも諸外国でしばしば報告され、わが国でもときどき見受けられます。

⑤ペットなどから感染したケース

抵抗力のない小児は、食品や飲料水以外に、犬や猫などのペットからも感染します。母親から子ども、あるいは子ども同士の感染がみられるのもカンピロバクターの特徴のひとつです。病院ではまれに院内感染の原因菌となり、新生児が感染した事例などが報告されています。

⑥どうすれば予防できるの?

カンピロバクターの特徴

カンピロバクターには次のような特徴があります。このような特徴をふまえて衛生管理をしましょう。

① 熱(中心温度75℃、1分間以上加熱)に弱い。
② 酸素にさらされると死滅しやすい。
③ 乾燥にきわめて弱い。
④ 通常の食品内では、増殖は困難である。
⑤ 低温条件や包装食品中では長時間生存する。
⑥ 生の鶏肉の汚染率がきわめて高い。

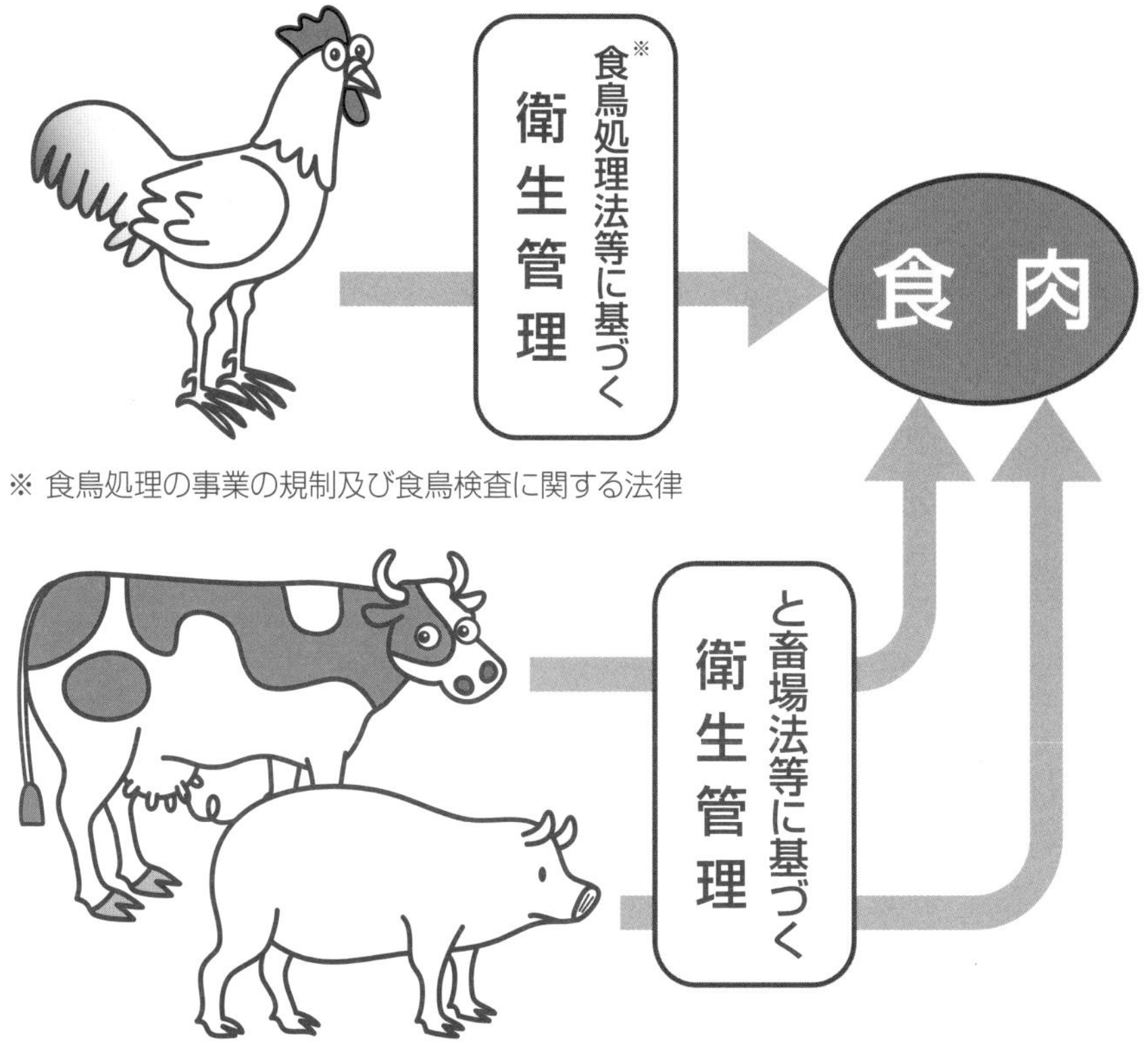

※ 食鳥処理の事業の規制及び食鳥検査に関する法律

処理場ごとの汚染状況

牛肉や豚肉はと畜場で、食鳥肉は食鳥処理場で処理されて市場に出まわります。

豚はカンピロバクター・ジェジュニよりもむしろカンピロバクター・コリを高率に保菌しています。と畜場を介して、食肉のカンピロバクター汚染が危惧されますが、と畜場では衛生管理マニュアルが整備され、最近ではカンピロバクター汚染がきわめて低くなってきました。

ただし、食鳥肉に関しては、食鳥として処理する工程でカンピロバクターを除くことができる決定的な方策が確立されていないため、生の鶏肉のカンピロバクター汚染がきわめて高いのが現状です。

まな板を替えて
菌をつけない！
オイ
オイ

菌をやっつける！
オラ〜
ヒエ〜〜

守ろう！ 食中毒予防の三原則

カンピロバクターによる食中毒を予防するためには、食中毒の予防三原則のなかでも、とくに「菌をつけない」ことと、「菌をやっつける」ことがたいせつになります。

食中毒予防の三原則

お店や家庭であらゆる食中毒を予防するには

① 菌をつけない
② 菌を増やさない
③ 菌をやっつける

菌をつけない

そのため、毎日調理するときには、常に次のことに注意してください。

- 生肉を素手で取り扱わない。
- 生肉を切った包丁やまな板で、他の食材を切らない。
- 調理器具は洗浄後、十分に乾燥させる。
- 冷蔵庫内では、生肉は他の食品と接触させないようにする。

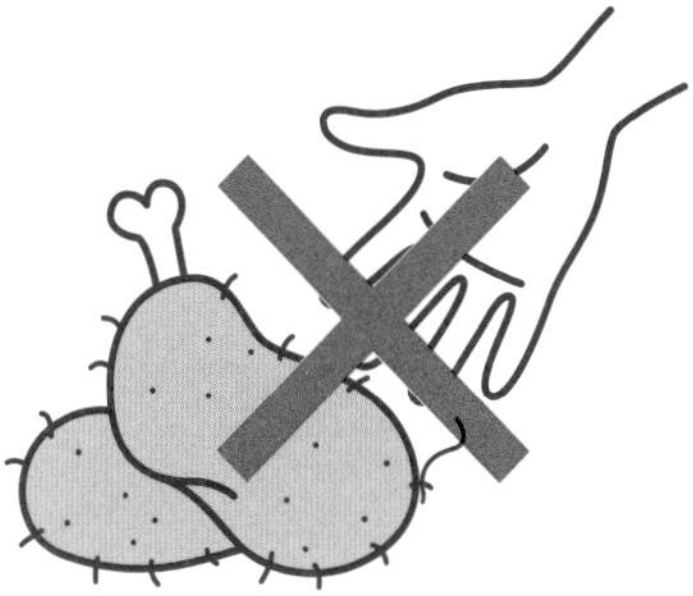

菌をやっつける

- カンピロバクターは熱に弱いので、鳥のささみなどは、中心温度75℃1分間以上、加熱する。
- 内臓がついたままの鶏肉はなるべく避けて、よく洗浄し、十分に加熱する。
- カンピロバクターは水の中でも生存できるので、飲料水は塩素で完全に殺菌したものを用いる。

飲食店や集団給食施設の予防対策

飲食店や集団給食施設で働く人は次のことを守りましょう。

1 **鶏肉のささみやレバーの場合**

鶏肉や鶏の内臓は高度にカンピロバクターに汚染されています。菌は肉眼では見えないので、中心部まで十分に加熱すること。

2 **焼き鳥などの加熱調理食品の場合**

表面だけ加熱しても内部に生存しているカンピロバクターは死滅しません。中心温度が75℃になるようにして、1分間以上は加熱すること(肉の中心部の色がかわるまで加熱)。

3 **調理器具の取扱い**

カンピロバクターは乾燥に弱いため、まな板や調理器具は十分に洗浄した後、消毒、殺菌し、完全に乾燥させること。

4
▼二次汚染の防止
▼生肉を調理した包丁やまな板、容器などは専用のものを使用し、他の食品のものと使い分ける。とくに肉類とサラダなどの生で食べるものを調理するときには、その工程や調理器具に注意をはらう。万が一、同じものを使用する場合には、十分に洗浄、消毒・殺菌したものを使用する。
▼生肉を取り扱ったあとは、十分に手を洗ってからほかの食品を取り扱うこと。
▼生肉を解凍するときは、生肉からのドリップが他の食品につかないようにする。
▼飲食店などでは、内臓がついたままの鶏肉(丸と体)の使用はできるだけ避ける。
▼手指や調理器具を洗浄するときには他の食品に菌を飛ばさないように静かに洗う。

5
飲料水による食中毒の防止
河川や湖水などの飲料水源は、野鳥や野生動物あるいは家畜や人のし尿によるカンピロバクター汚染の危険性があります。通常の水道水は消毒によってカンピロバクターは死滅していますが、井戸水などの飲料水は完全に塩素消毒してから使用すること。

と畜場や食鳥処理場での注意点

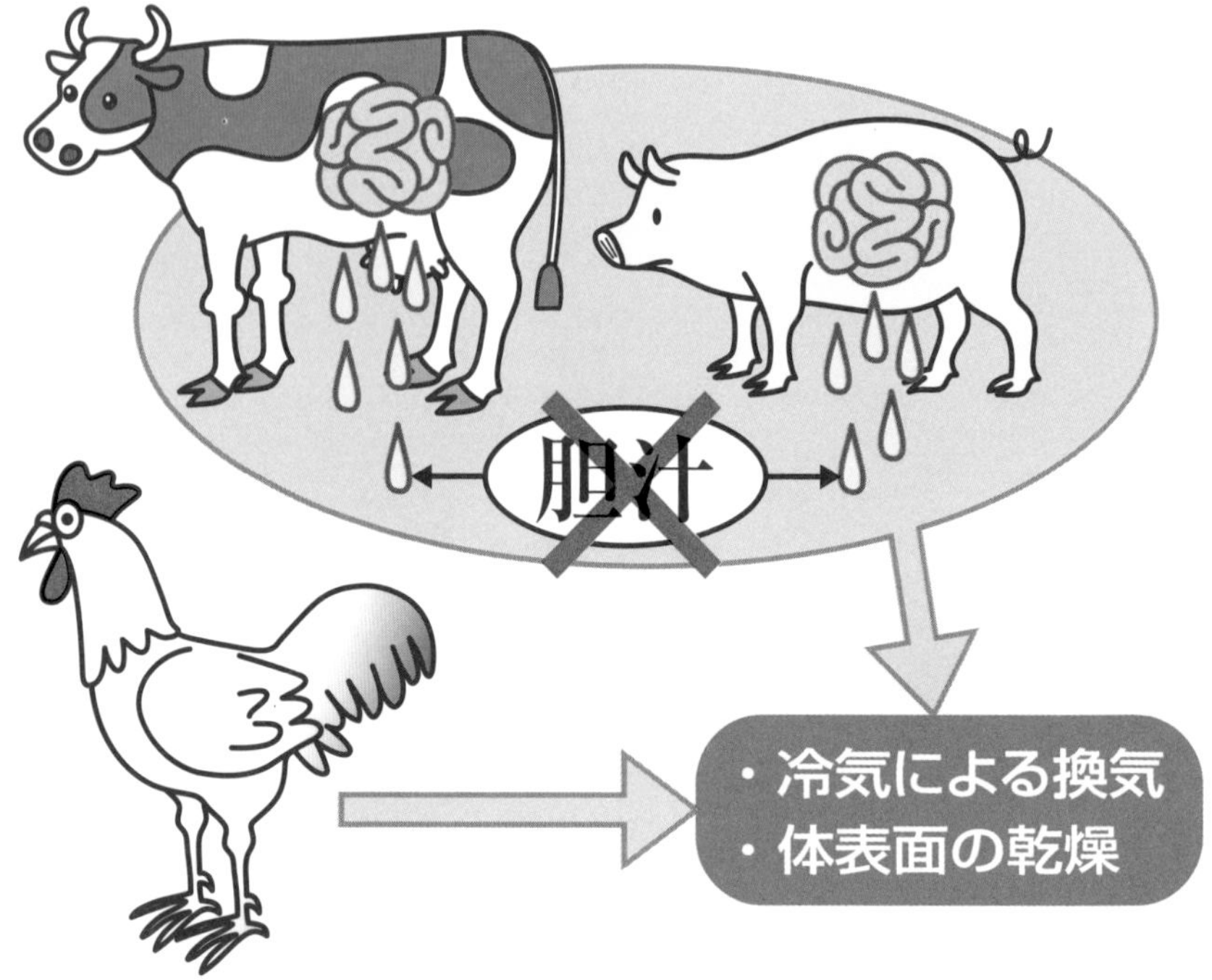

牛、豚、鶏などの腸管には、カンピロバクターがいることが多いです。

牛や豚を処理すると畜場では食道と腸管を結紮《けっさく》し、腸の内容物が漏れでないようにすることと、胆汁中にもいる可能性が高いことから胆管からの胆汁の漏出も防止することがたいせつです。

また、カンピロバクターは乾燥に弱いため、解体されたと体を低温下で一晩換気するのが、きわめて有効です。

食鳥処理場においては脱毛、湯漬け、内臓除去、冷却などの各工程が菌の相互汚染となっているので注意が必要です。とくに内臓を除去するときに腸の内容物による汚染を完全に防止できる方法がないため、大動物と同様に、冷気による換気と体表面を乾燥させる工程の導入が望まれます。

カンピロバクター Q&A

Q　鶏肉の衛生管理はどのように守られていますか?

A　鶏肉を加工する工場は、食鳥処理法に基づく基準(設備や使用する水など)を守り、一羽ごとに疫病等の検査をすることが義務づけられています。また、病気にかかった鶏は廃棄処分となります

Q　なぜ鶏肉にカンピロバクターが多く付着するのですか?

A　飼育されている肉用鶏のカンピロバクター汚染率がきわめて高いこと、また一般的な食鳥処理場では、短時間で鶏を処理するので、各処理過程において腸管にいたカンピロバクターが鶏肉に付着してしまうことがあります。

Q　卵は大丈夫ですか?

A　卵を食べたことが原因のカンピロバクター食中毒の報告はありません。また、卵の殻に菌が付着していたとしても、殻の表面は乾燥しているので、乾燥に弱いカンピロバクターは死滅してしまいます。

Q　鮮度のよい鶏肉なら生で食べても大丈夫ですか?

A　鮮度のよし悪しに関係なく、カンピロバクターが鶏肉についていれば食中毒の危険性はあります。むしろ、カンピロバクターは酸素や乾燥に弱いため、鮮度のよい鶏肉のほうが生存している可能性があります。他方で、鮮度が悪くなると他の病原菌が増加するおそれがありますので、生食は避け、鶏肉は早めに調理することをおすすめします。

Q 牛の生レバーは安全ですか?

A 家畜全般に言えることですが、たいていの牛には腸管内にカンピロバクターのほかに腸管出血性大腸菌などの食中毒菌を持っています。さらに肝臓のなかに腸管出血性大腸菌がいることがあるので、食中毒予防の観点から、牛レバーを生食用として販売することは禁止されています。食肉や内臓については、中心部まで十分に加熱して食べるようにしましょう。

Q 行政の取組みはどうなっているのでしょうか?

A カンピロバクター食中毒など、食鳥肉に起因する衛生上の危害防止のために、平成2年、「食鳥処理の事業の規制及び食鳥検査に関する法律」が公布され、食鳥等についても検査制度が設けられ食鳥処理場に対しての衛生管理が推進されました。

また、平成4年に「食鳥処理場におけるHACCP方式による衛生管理指針」が示され、さらに、平成26年4月に「食鳥処理の事業の規制及び食鳥検査に関する法律」の施行規則が改正され、新たにHACCPを用いて衛生管理を行う場合の基準が追加されました。これにより、食鳥処理場の衛生管理について事業者は、従来の衛生管理基準、またはHACCPによる衛生管理を選択することが可能となり、より高度な衛生管理の徹底が進められています。

また、厚生労働省から「カンピロバクター食中毒予防について(Q&A)」が出されており、各自治体でも、さまざまな取組みが行われています。